叶子的形状——来看看叶子的构造吧

双子叶植物的叶

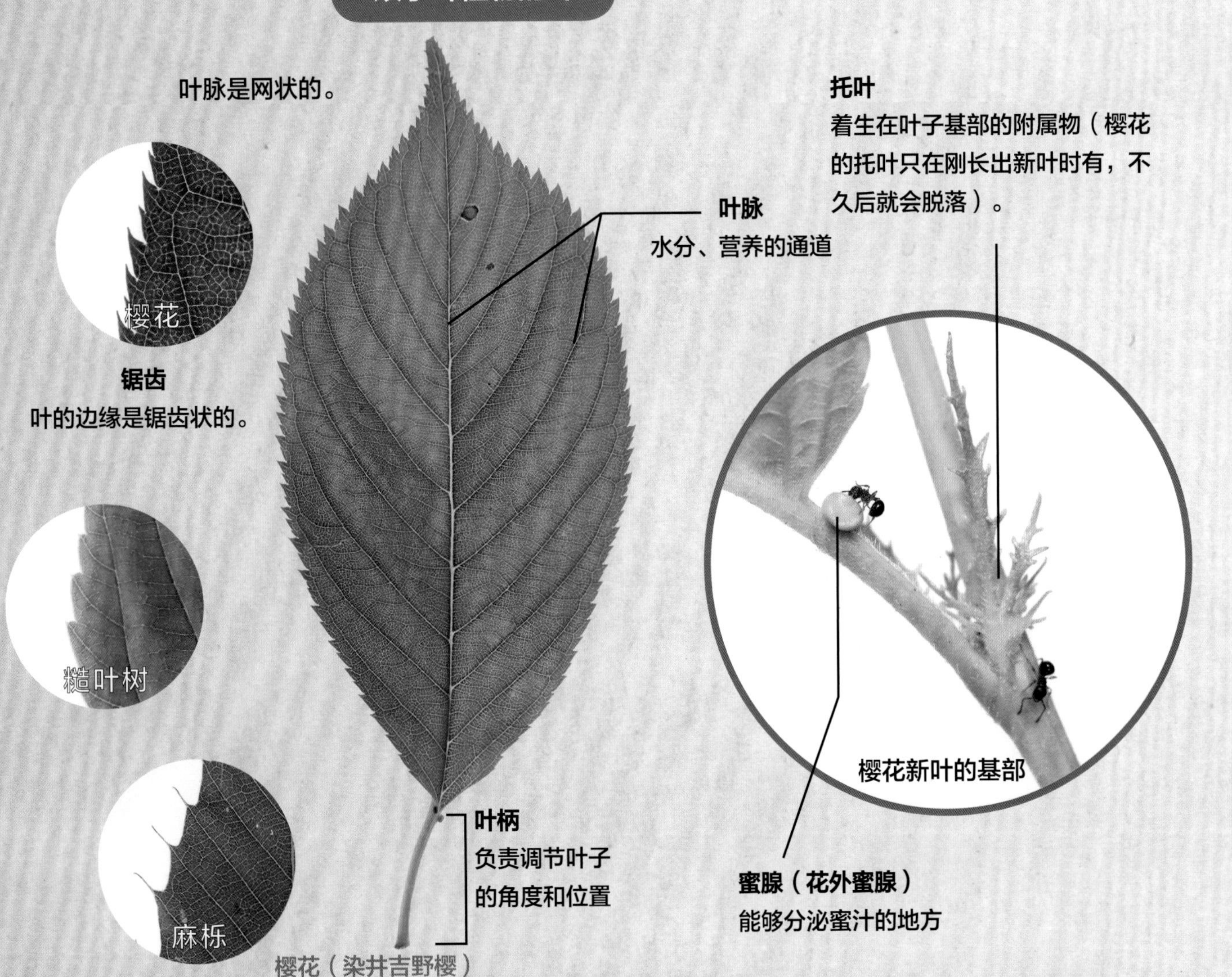

单子叶植物的叶

叶脉是平行的。

鸭跖草

叶鞘

在叶的基部呈薄膜状，包裹着茎和下一片新叶。

竹子（青苦竹）

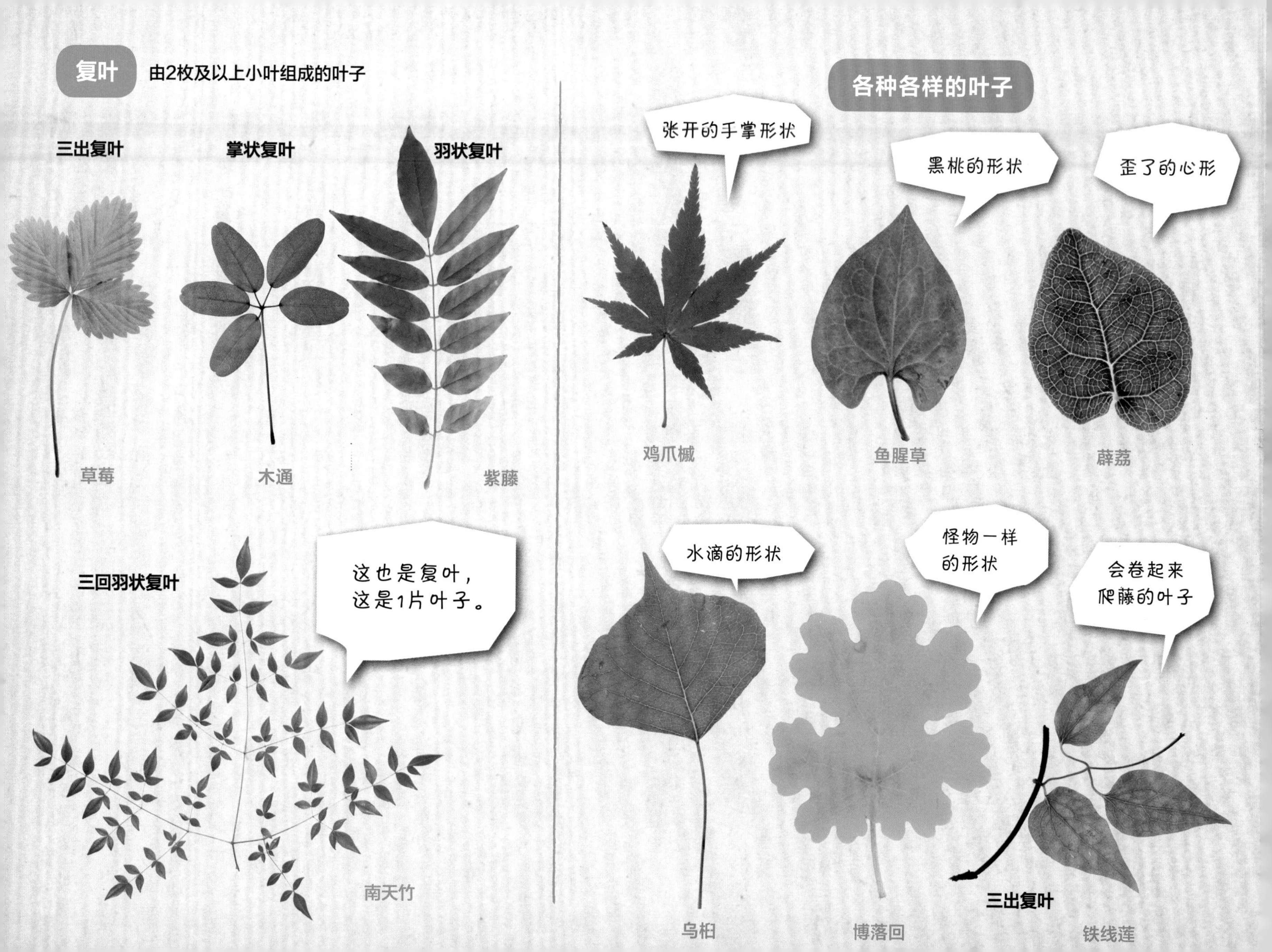
复叶
由2枚及以上小叶组成的叶子
三出复叶
掌状复叶
羽状复叶
草莓
木通
紫藤
三回羽状复叶
这也是复叶，
这是1片叶子。
南天竹
各种各样的叶子
张开的手掌形状
黑桃的形状
歪了的心形
鸡爪槭
鱼腥草
薜荔
水滴的形状
怪物一样
的形状
会卷起来
爬藤的叶子
三出复叶
乌桕
博落回
铁线莲

自然侦探团

ZIRAN ZHENTANTUAN

叶子科学馆

ようこそ！葉っぱ科学館

目录

[日]多田多惠子/著 光合作用/译 博得自然/审订

CNS | K 湖南科学技术出版社

参观叶子工厂

叶子是植物的生产工厂？

叶子是植物的工厂。
叶子利用阳光的能量，
以二氧化碳和水为原料，
生产糖和淀粉，同时释放
氧气，这个过程叫作
“光合作用”。

看，这里是“工厂”的入口。

用显微镜看叶子的背面，能看到无数看上去像眼睛的“气孔”。这里是叶子进行光合作用利用的原材料——二氧化碳的进气口，同时由根吸上来的大部分水分蒸发后，也是从这里排放到空气中。

气孔白天打开，晚上关闭。为了防止叶子枯萎，在土壤干燥的时候气孔也会关闭。

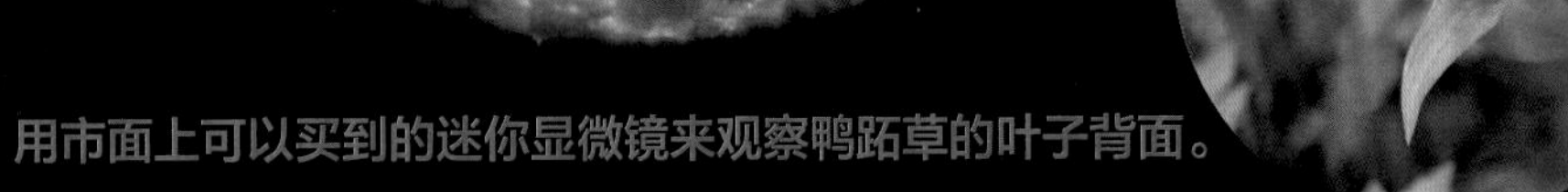

用市面上可以买到的迷你显微镜来观察鸭跖草的叶子背面。

鸭跖草是路边常见的一年生草本植物，夏季到秋季会开蓝色的花。要观察气孔的话，最好选成熟的叶子。

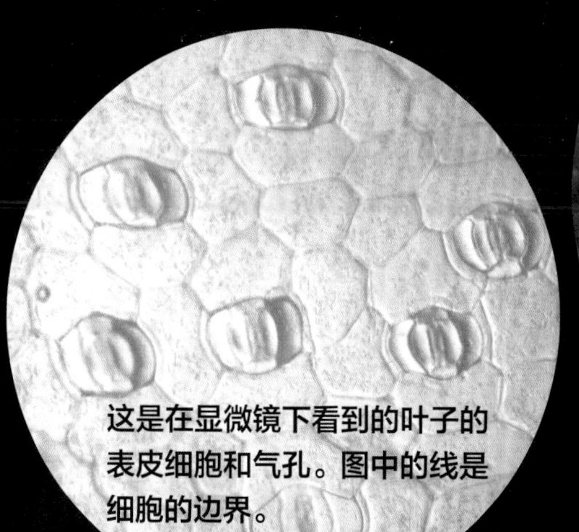

这是在显微镜下看到的叶子的表皮细胞和气孔。图中的线是细胞的边界。

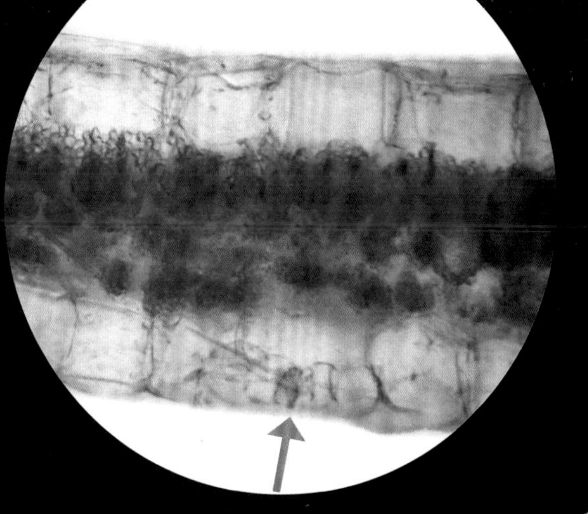

鸭跖草的叶子上有很多根平行的叶脉。叶脉里有叫作“维管束”的管道，这种管道有两种，分别叫作“导管”和“筛管”。导管是输送由根吸收而来的水分的管道，筛管是将叶子制造的养分输送到其他地方的管道。

鸭跖草的叶。叶脉是平行的，叶子的基部变为薄膜（叶鞘）卷在茎上。

叶鞘

接下来，把鸭跖草的叶子切得薄薄的，在显微镜下看叶子的横断面：真像三明治！叶子上下紧紧排列着无色透明的“表皮细胞”，守护着绿色的“叶肉细胞”。叶子的背面有气孔（箭头位置）。

单独观察绿色的“叶肉细胞”，有细长形的细胞，也有像阿米巴变形虫似的形状不定的细胞。不论是哪种形状的细胞，里面都紧紧排满了绿色的小颗粒，这就是“叶绿体”，是叶子工厂生产糖和淀粉的生产线。

以叶子工厂里制造的糖和淀粉为基础，植物可以进一步合成很多化学物质，从而成长、开花、结果，将生命传递给下一代；叶子工厂排出的则是氧气和清洁的水。

叶子的配置

叶柄轻柔地弯下来，以调整叶子的位置和朝向。

枝条上边的叶子叶柄比较短，下边的叶子叶柄比较长，这样使得所有叶子都能够晒到阳光。

茎和叶依次排列，形成整个枝条。
每个茎节只长一片叶子，且各节交互长出，这叫“互生”。
每个茎节上长出两片相对的叶子，这叫“对生”。

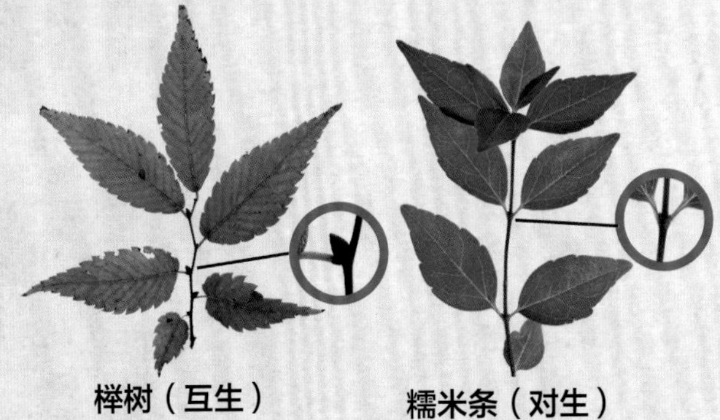

叶的基部会形成芽。如果茎的顶部被折断或是被吃掉了，那么叶基部的芽就会“从候补转正”，生长起来。

植物的身体和动物的身体非常不一样。
植物没有大脑，也没有心脏，被折断了也还会再生。
植物是由**“茎＋叶＋芽”**的组合不断重复构成的。

叶子的寿命

对植物而言，叶子是重要的生产工厂，但随着时间的推移，叶子会因为生病、害虫或风吹等原因受到损伤。这时，植物长出新叶来更替老叶。

落叶树在寒冷的冬天到来前会掉落树叶。落叶树叶子的寿命大约是半年，因此叶子往往很薄。

与落叶树相比，常绿树需要更厚更结实的叶子，这样能够维持比较长的时间。虽然常绿树一整年都保持常绿，但它的老叶也会落下，新的叶子会生长出来。山茶叶子的寿命大约是 4 年，全缘冬青（见第 4 页）叶子的寿命是 2～3 年。通过观察枝条，可以了解常绿树叶子的寿命。

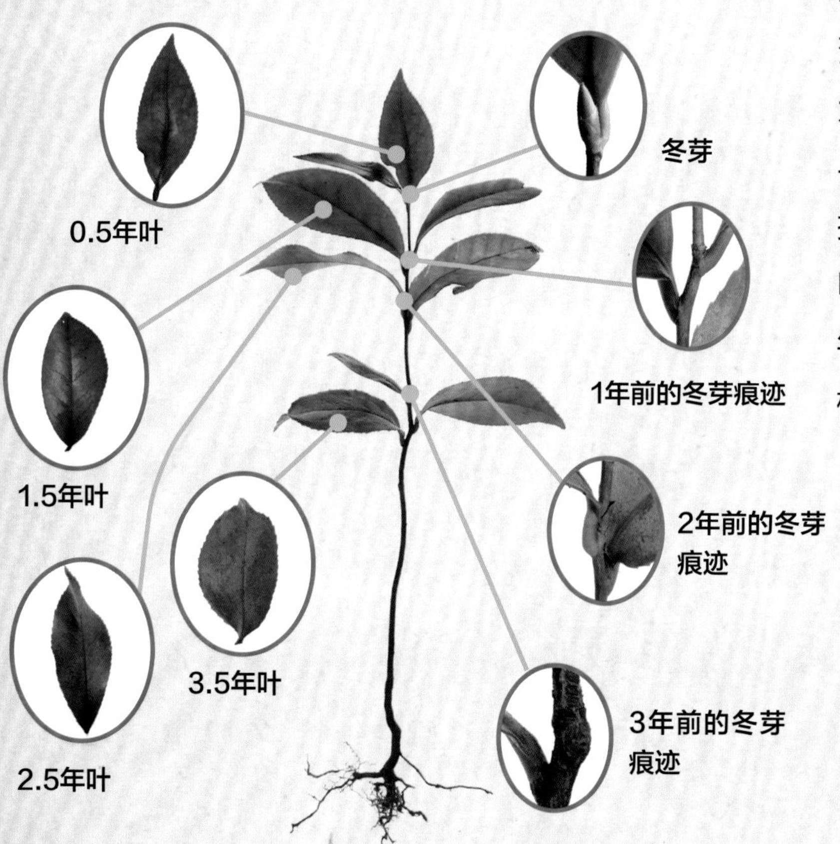

山茶的幼苗

经年累月，叶子上因破损、虫害或病害导致细胞死亡而变白的部分越来越多。

推算茎或叶的年龄的方法

山茶在茎的顶端或是叶的基部形成冬芽。到了春季，冬芽将抽发，长出新的枝条。这个冬芽的痕迹会留在枝条上，从这里就可以知道茎和叶的年龄，从而推算出叶子剩余的寿命。

草本植物叶子的寿命

草本植物的叶子也有更替。在激烈的生存竞争下，长得高的草本植物的叶子会在很短的时间里更替；另一方面，往往在树木下方可找到叶子寿命很长的多年生常绿草本植物。

麦冬生长在林子里阴暗的地面上，它的叶子会被好好地“使用”大约2年。

加拿大一枝黄花的叶子的寿命只有几周，随着叶子不断地更替，茎会长得高高的。

超大的叶子

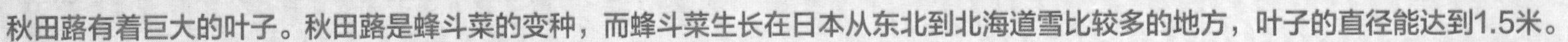
秋田蕗有着巨大的叶子。秋田蕗是蜂斗菜的变种，而蜂斗菜生长在日本从东北到北海道雪比较多的地方，叶子的直径能达到1.5米。

叶子越大越好吗?

叶子越大，就可以利用越少的茎和叶柄来支撑越大的面积，对植物而言，这比起长很多小叶子来说更经济、更有效率。但另一方面，越大的叶子越容易被风雨吹打，越容易被太阳晒得温度上升而需要更多的水分，失去叶子时的损失也更大。

换言之，如果植物不需要担心强风、阳光或是水分不足，那么有更大的叶子就更有益。实际上，在水分充足而缺少阳光的热带和亚热带的阴暗森林中，有很多拥有巨大叶子的植物。在日本，雪融水相对丰富的日本海一侧与太平洋一侧相比，植物的叶子也相对更大。

植物长出巨大叶子是有原因的，同时，植物也会下工夫来弥补巨大叶子的缺点。

生长在冲绳的亚热带森林中的海芋，它的叶子很大，能够当雨伞了。

香蕉的叶像冲浪板那么大。被风吹打之后，香蕉叶会裂开成日式门帘的样子来分散受力，它一开始就做好了叶子可以沿着叶脉裂开的准备。

从一棵树上摘下来的山毛榉的枝条。
直面风和阳光的枝条上生长的叶（左边，向阳叶）更厚更小，而背阴面的枝条上生长的叶（右边，背阴叶）更薄更大。

王莲是水生植物，浮在水面上就不必担心干燥或重量，所以叶子直径可以达到2米。

高山的微缩世界

覆盖岩石的藓石南的茎与花（北海道 · 大雪山）

能够忍耐严苛环境的迷你叶子

在高山裸岩环境中，生长着个子低矮、紧紧抱成一团像垫子似的高山植物。高山裸岩地带有着冰雪覆盖的漫长的冬天，还有着干燥又贫营养性[1]的夏天，高山植物不仅忍耐着这种光是生存下去都很困难的环境，不断成长，还开出了惹人怜爱的花朵。生长在日本本州或北海道高山上的藓石南是杜鹃花科的小型常绿灌木，它的高度只有 5 厘米左右。藓石南枝条趴在地面上，它两侧那小小的叶子排成一串，看上去好像蜈蚣呀。

虽然藓石南的微型叶只有 2 毫米，但它非常厚实，能够留在枝条上很多年。藓石南用小小的叶子一点一点地不断积累着微小而切实的生长力量，在严酷的环境中生存下去。

和藓石南长在一起的是同属杜鹃花科的高山植物岩须。岩须的叶紧紧贴着茎生长，看上去就好像是细铁丝一样。

岩须的花

高山植物越橘（红色果实）和东北岩高兰（黑色果实）

海岸也有微缩世界

海岸的裸岩地带也有着对植物而言非常严苛的干燥且高盐分的环境。在会被海浪飞沫打到的岩石的低洼处，长满了安旱苋（苋科）。

安旱苋长着长约3厘米的厚厚的多肉质[2]叶，叶的断面圆圆的，能够忍耐干燥和海水。

1 贫营养性是指植物生长必需的营养物质非常缺乏的情况。

2 多肉质是指植物体内像海绵一样储存着大量水分的部分。

叶子大变身！

这个和那个都是爬山虎的叶子？

配合着环境，植物会变换叶子的形状和特性。

随着生长发育改变形状

爬山虎是攀援树干或墙壁的藤本植物。

爬山虎的一生充满了变化。在地面爬来爬去的幼年时代、向上攀援的青年时代、在高处生活的成年时代，不同时期爬山虎叶子的生活环境有很大的不同。

因此，爬山虎配合着环境的变化，产生了三个阶段（见下图）不同的茎的特性、叶的形状。

幼年爬山虎长着有 3 片小叶的叶子（复叶）。

复叶的特征是在落叶时小叶会从叶柄上散落，

成年爬山虎的叶子还残留有复叶的特征，到了秋季，叶子会先行凋零，留下叶柄。

另外，爬山虎独特的吸盘（见第 29 页右上图）也是一种变形的叶子。

幼年爬山虎。在2片子叶张开之后，爬山虎会长出有3片小叶的叶子（复叶）。这种形状是爬山虎为了在地面生长、寻找攀援的地方时，能够将叶柄垂直立起来，并将叶面在水平方向扩张而形成的（见第17页）。

青年时代。枝条通过吸盘贴紧墙壁不断向上攀援，叶子的叶柄短短的，紧紧贴着墙壁排列。

丰满成熟的成年时代。这时爬山虎的大片叶子有着长长的叶柄，它们微微倾斜、重重叠叠，在阳光下开花结果。

秋天的红叶和果实。落叶时爬山虎叶子会直接掉落，叶柄会单独残留在枝条上一段时间。

水珠滚来滚去

无数的水珠闪亮亮，滚来滚去。

通过对叶子表面进行微米[1]级加工，

叶子能把水变成水珠，

同时也能把脏东西抖落得干干净净。

芋头的叶子

把雨滴弹开的芋头叶子

1 微米是长度单位，即0.001毫米。微米级加工就是对非常小的东西进行加工。

疏导水分的“荷叶效应”

你知道不会粘上米粒的“魔法不沾饭勺”吗？通过在饭勺的表面设计双层的比饭粒小的无数小突起，这样饭勺与饭粒之间的接触面积非常小，就不会粘上饭粒了。

芋头叶子的结构与不沾饭勺非常相似，它的表面覆盖着微米级的小突起，所以会疏导水分。又因为水和叶子接触的面积很小，突起之间含有空气，水就变成水珠滑走了。

如果叶子一直被水打湿，会变得很重，很容易折断或污损，也会妨碍叶子的呼吸。因此，将水变成水珠然后抖落掉很重要。

还有一个有意思的地方。水滴从叶面上滚落的时候，会把叶子上的灰尘或脏东西聚在一起，然后一股脑地带走。也就是说，这样也有着保护叶面不被弄脏的效果。这种叶面具有小小的突起的结构，荷叶也有，因此被叫作“荷叶效应”，它也被应用在布或其他各种材料的防水加工技术上。

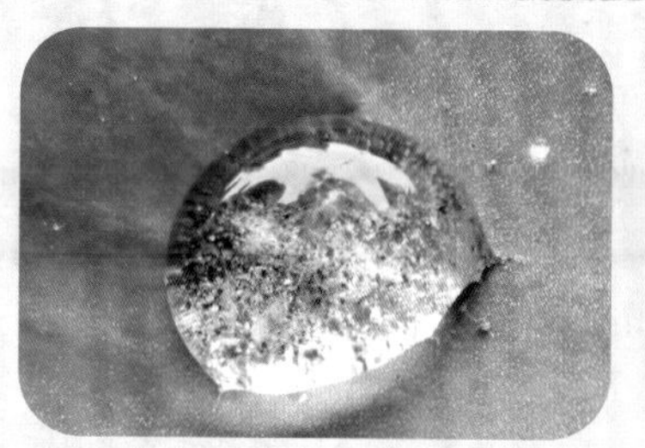

把沙粒和灰尘聚到一起，同时不断变大的水滴。

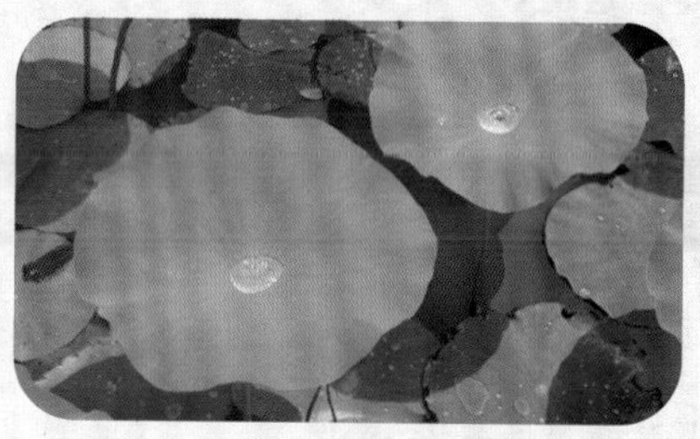

这是荷花的叶子。果然把水弹开形成了水珠。

芋头叶子的表面结构

在水滴透镜下可以看到突起。

用毛疏导水分

还有其他可以体现疏水作用的叶子结构。铁马鞭的叶子表面密密地长着像小猫的毛似的柔软的毛，这些毛可以将水变成水珠。

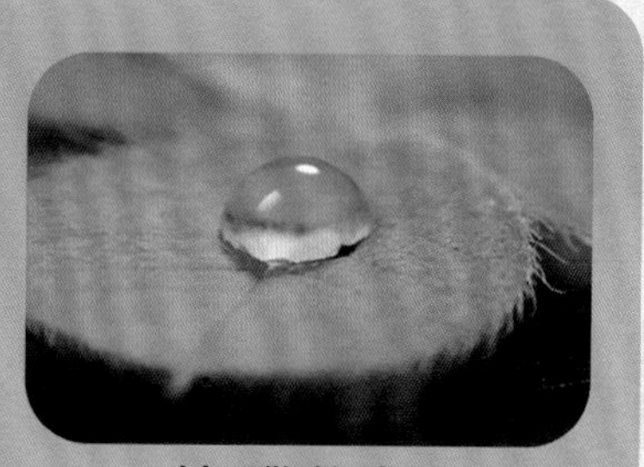

铁马鞭的叶子

叶子魔法

大家现在看到的是虎耳草的叶子。

看我把叶子上的白斑（花纹）

一下子变没有了。

1、2、3！

消失了！

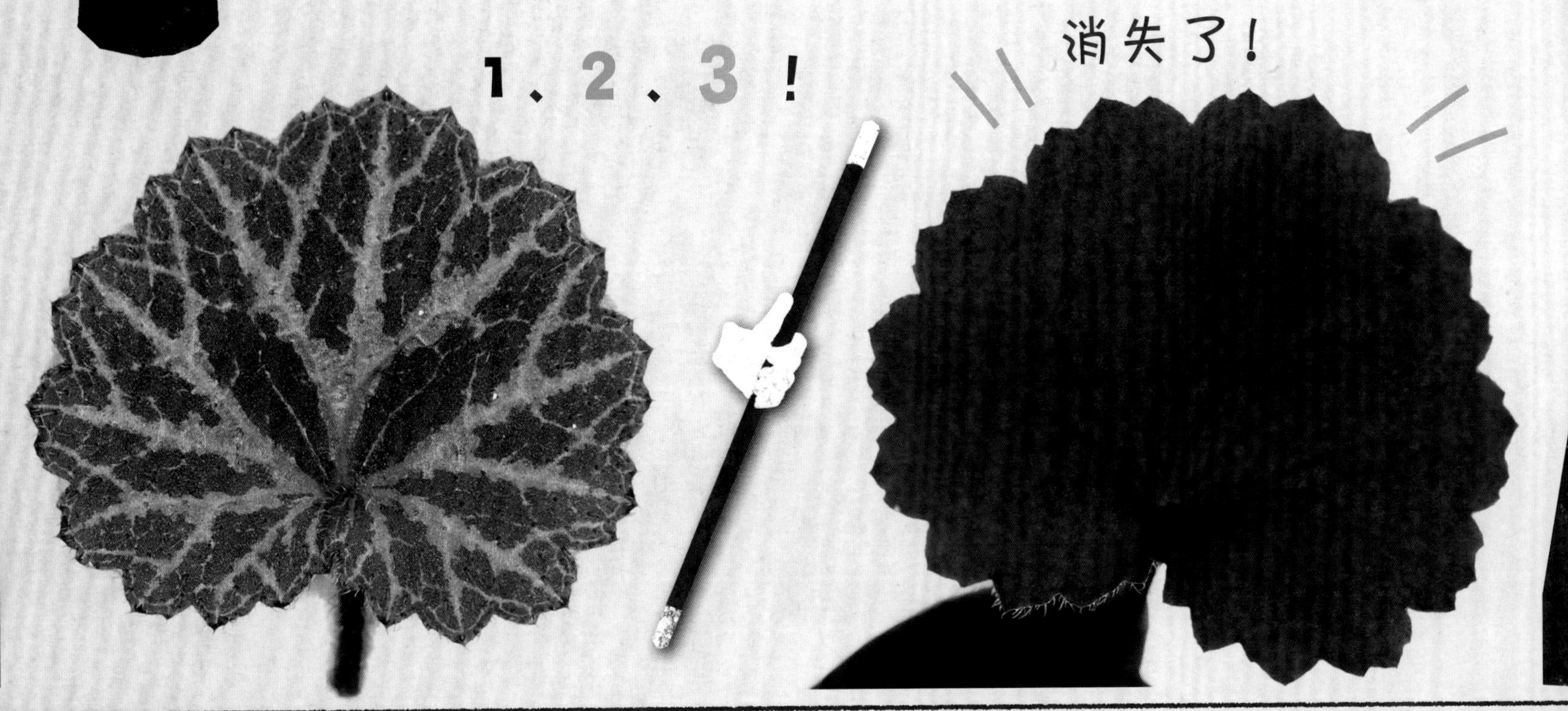

看上去是白色的部分是空气层

叶子上带有白色纹样的植物被称为“斑叶植物”。

经过人们细心栽培而形成的斑叶植物，是因为遗传基因的突变导致叶子的一部分失去叶绿素而产生了斑叶（这种斑纹也叫“嵌合体斑”）。斑叶对叶子的光合作用是很不利的。大多数情况下，嵌合体斑叶的白色纹样是不规则的。

另一类斑叶，比如虎耳草叶子，它叶面的花纹是因为叶表下存在的空气层经过了光的漫反射，从而使它看起来是白色的（这种斑纹也叫“定型斑”）。如果试着将虎耳草叶子的表皮剥下来，那么会发现恰好把白色部分完整剥下来了；而如果透过光来看，就会发现花纹消失了。这种类型的斑纹是规则的，在日本细辛、白车轴草等野生植物的叶子上也会存在。叶表下有空气层除了能够接收到光，是不是还有其他优点？如果有的话又是什么呢？这些问题还是谜。

虎耳草生长在潮湿阴暗处。

林下生长的日本细辛，它的纹样是由空气层形成的。

斑叶的园艺种植物
（右图）斑叶常春藤和斑叶欧洲络石
（左图）花叶青木和斑叶欧洲女贞

斑叶大揭秘 透过光来看看！

对比着看看右边的两张照片。

①白车轴草②吊兰③日本凤尾蕨④常春藤（2片）⑤蔓长春花⑥亚洲络石（2片）⑦牵牛花⑧虎耳草⑨海仙花⑩青木
（其中白车轴草、日本凤尾蕨、虎耳草叶面的斑纹为定型斑）

可以『转碟』的叶子

为什么叶子会是这个形状呢？
是因为植物要从地面努力地长高，
然后将叶片水平展开以更好地接受阳光。
这样就好像转碟一样，叶子的重心就在它的中心。

白车轴草（三叶草）的叶子。3片小叶形成一片复叶。找找看同一叶柄有4片小叶的三叶草吧。

水平支撑

从侧面看白车轴草的叶子，水平展开的叶片下面是基本垂直的叶柄。如果是一般的叶子，则会因为叶片的重量而倾倒；而在白车轴草垂直的叶柄顶部，它的叶子像转碟似的保持着平衡。

叶子与白车轴草很像的酢浆草也是“转碟”的形式，荷花和天竺葵圆形的叶子也是这样的，常春藤的五角形叶、鱼腥草的心形叶也都是重心接近中心的形式。

像白车轴草这样分成 3 片的叶子还有别的好处。不仅叶片上不容易积存水，它还可以根据昼夜光照的变化或空气的干燥情况自由变换角度（见第 38 页）。

叶尖的宝石

闪闪发光的“钻石”，
是从根部传输上来的水滴。

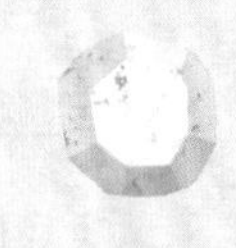

早上的夏天无。细小的水滴是晨露，叶尖的水滴是从水孔中流出的水。

水从“水孔”中流出

野草莓

叶子如果没有能够弹开水的结构，水不会变成水珠，其中的一部分水会被叶子再次吸收。

在夏季或秋季气温骤降的早晨，因辐射冷却[1]，空气中的水蒸气会在叶子的表面冷却形成水滴，这就是露水（晨露）。

但是叶尖的水滴并不是露水，而是从根吸上来的水。这是植物导管从根的反方向，也就是说从叶脉的末端排到叶子之外的水（从根吸上来的导管液）。

植物白天打开气孔，将水以水蒸气的形式排出。叶子排出水分之后，根会再将水传导到叶子。植物在夜间虽然会关闭气孔，但因为根会持续吸水[2]，水就会积存在叶子内部。

处理多余水分的结构叫作“水孔”，在气温低而湿度高的时候，很多水会从这里排出。水孔大部分在叶子锯齿的尖端（也有些植物没有），用放大镜就能看到。

“水孔”是这样的

蛇莓

锯齿顶端的水孔。这是一般的水孔的形状。

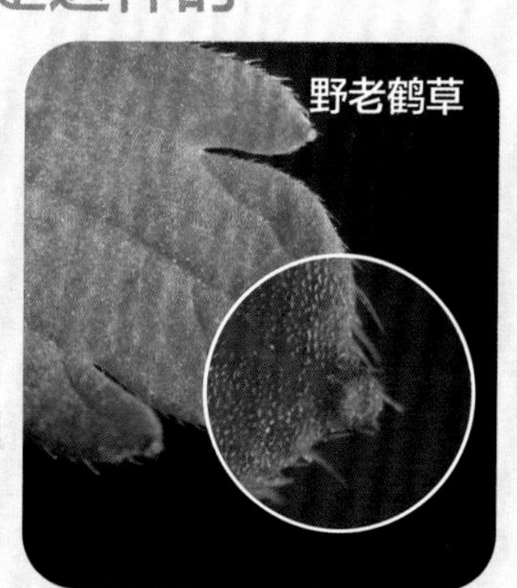

野老鹳草

水孔被推到锯齿顶端之外，变成了红色。

水孔和锯齿

如果仔细观察脚边的草和身边的树木，会发现水孔和锯齿似乎是有着很深的关系。那么，植物叶子呈锯齿状是不是为了形成水孔呢？并不一定是这样的。

实际上，锯齿的作用目前还不明确。如果统计一下的话，温暖地区有更多叶子上没有锯齿的植物，寒冷地区叶子上有锯齿的植物更多。但要说为什么会这样，现在科学家也还没有明确的答案。

耧斗菜

1 辐射冷却是指通过地面或叶子向空气中放出热量而降低温度。晴朗的夜间辐射冷却效应很强。

2 根持续吸水是指因为根的内部与土壤中的液体相比渗透压更高，所以水被吸入根中。这导致根的导管内水压变高（称作“根压”）。因为根压的存在，夜间水也不断被吸入叶子。

新叶的太阳镜

嫩嫩的新叶子面向太阳，
『戴上太阳镜』来抵御紫外线的攻击。

4 月，常绿的马醉木的新芽非常漂亮。

抵御紫外线

虽然植物需要光，但阳光里有紫外线 (UV)，过多紫外线会使作为生命编码的 DNA 受伤，所以是有害的，因此面对紫外线，植物会下工夫为重要的部分做好防护。

刚刚张开的马醉木的新叶“戴上”了能够吸收紫外线的红色“太阳镜”，使叶子变红的是被叫作“花青素”的色素，花和红叶中的色素也是花青素。种子和冬芽的颜色之所以偏棕褐色，抵御紫外线也是重要的原因之一。

软乎乎的毛也能够起到防护的作用，有很多植物的叶和枝条上“穿着”红色或白色“毛外套”。

光叶石楠是常绿树，红色的新叶长大后就会变成绿色。

光叶石楠红色新叶的断面。叶子的细胞中含有红色的色素。

野梧桐也有着漂亮的红色新叶。

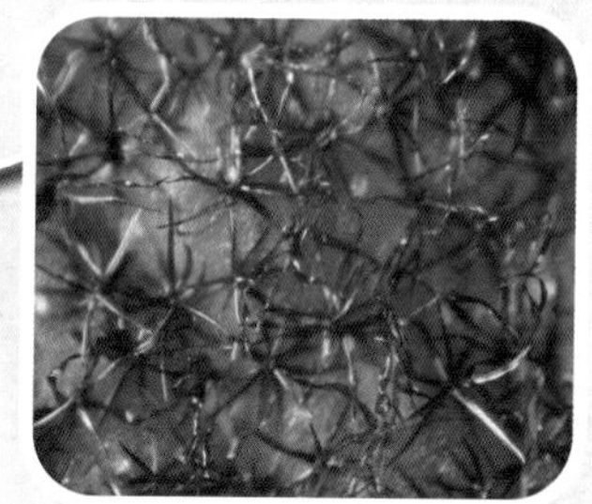

红色的是叶子表面密生的星状毛，如果发生摩擦的话毛会剥落，叶子会变为绿色。

冬天“戴上太阳镜”

带着红色的莲座状[1]酸模。因为冬季低温的时候更容易受到紫外线的影响，莲座的叶子也“戴上了太阳镜。”

1 莲座状是指叶紧贴着地面呈放射状生长的形状。

会剥落的珍珠粒

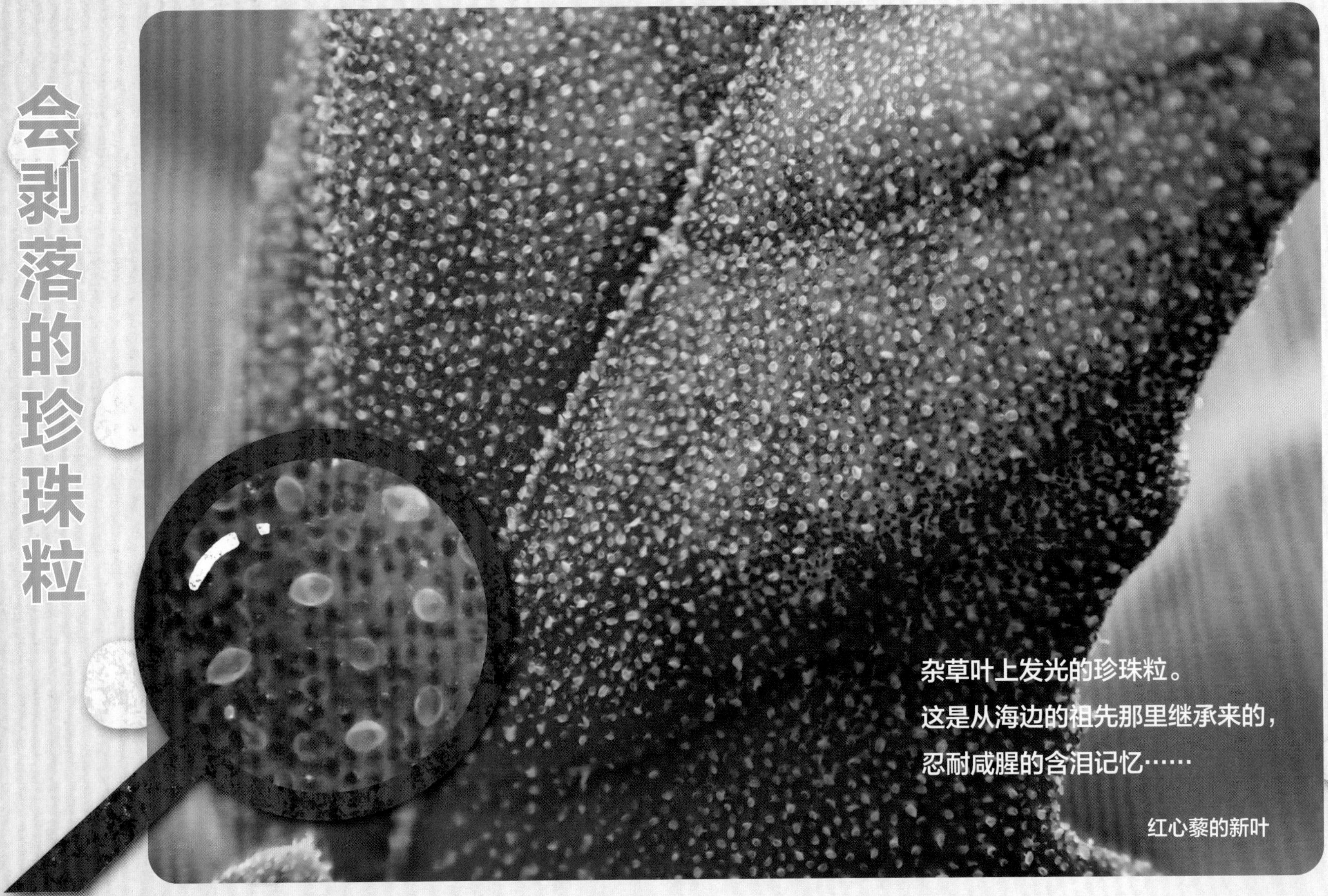

杂草叶上发光的珍珠粒。

这是从海边的祖先那里继承来的，

忍耐咸腥的含泪记忆……

红心藜的新叶

珍珠粒的真面目

红心藜是农田中的杂草。它的新叶的漂亮红色不是叶子自身的颜色，而是覆盖在叶子表面的小颗粒的颜色。

通过放大镜看红心藜的叶子，像珍珠似的小颗粒其实是植物的一种表皮毛（见第 30 页）。

红心藜的故乡是盐化沼泽湿地的沿海泥滩。一般的植物泡了盐水之后会变成“腌菜”，但生长在海边的红心藜的小伙伴们可以把盐分放在叫作“液泡”的储藏库里，如果还有多余的盐分，就会将盐分送到颗粒状的毛中或是将盐水从叶子中直接排出去，这样它们才能在高盐度的环境中生存下去。

尽管现在红心藜已经进入到农田这样的新环境当中，但它的叶子上依然留着小小的珍珠粒。

在农田里生长的藜（左）和红心藜（右）。有白色珍珠粒的是红心藜的小伙伴，藜。

摩擦红色的叶，颜色会脱落。一个珍珠粒相当于一个细胞。

被海水浸泡的泥滩（盐化沼泽湿地）是藜的小伙伴们的故乡。

盐化沼泽湿地里的滨藜。它有着多肉质的叶，味道咸咸的，会通过叶的表面向外排出盐分。图中开着花的植物是碱菀。

这是在市场上可以买到的、作为蔬菜的海岸植物番杏，它与近缘种冰菜相似，因为叶子表面覆盖的颗粒状的毛会储存盐分，所以吃起来有点咸。

叶子的『星空』

对着阳光看蜜橘的叶子，闪闪发光的，仿佛看见了满天的星光。

注意不要直接看太阳，会伤害到眼睛，非常危险！

气味的储藏罐

蜜橘的小伙伴们（柑橘类植物）的叶子也有蜜橘的气味。但是，即使把鼻子凑到叶子跟前，也闻不到气味呢；而如果撕开叶子，那么在撕开的一瞬间气味就会钻进鼻子。

这个气味来自蜜橘特有的精油成分。对着阳光看起来像星空的小点点（油点）是精油的储藏罐，如果撕开叶子，储藏罐就破了，精油挥发成为带香味的气体，我们的鼻子就闻到香气啦。

迷迭香

唇形科植物储藏气味的储藏罐排列在叶子背面，是无数的像白色小颗粒的毛。

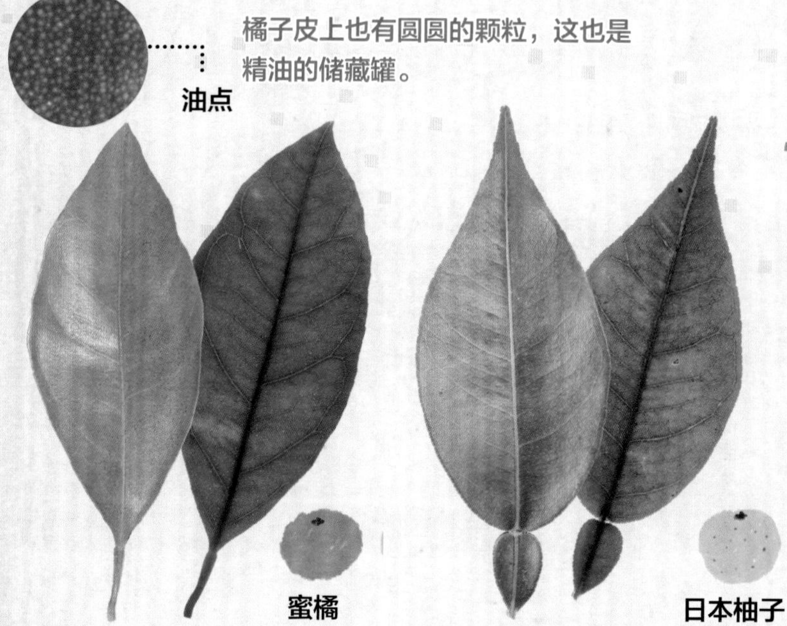

橘子皮上也有圆圆的颗粒，这也是精油的储藏罐。

日本花椒也是蜜橘的小伙伴，柑橘凤蝶的幼虫也爱吃日本花椒的叶。对着光看日本花椒的叶，也能够看到闪闪发光的油点。

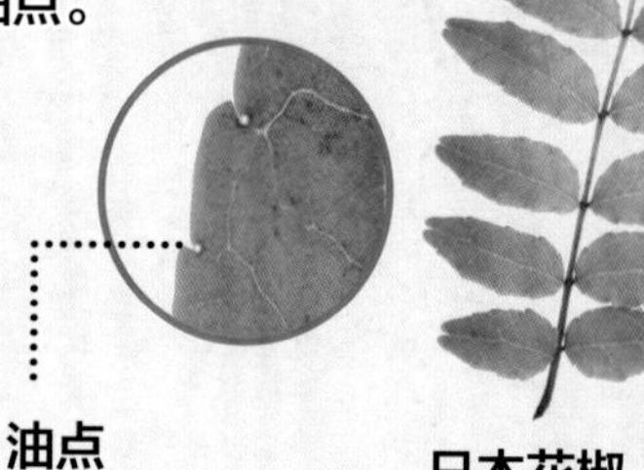

日本花椒

通过气味进行防御?

食草的动物不喜欢有气味的叶子，它们不吃这样的叶子。叶子的气味是植物强有力的防御手段。

比较特别的是柑橘凤蝶的小伙伴们。柑橘凤蝶、蓝凤蝶等凤蝶的幼虫吃柑橘类植物的叶长大。如果敌人袭击这些幼虫它们会从头顶伸出叫作臭角的，可以产生难闻气味的角，这样来吓唬敌人。凤蝶幼虫是通过吃过的叶子来制造臭味的。

伸出黄色臭角来威吓敌人的柑橘凤蝶终龄幼虫。

藏在叶子里的透明刺

芒在日本也被称作“锯齿草”。

要是不小心抓住了芒的叶子，疼！割到手指了！

用放大镜来看，呀，好大一排鲨鱼的大尖牙！

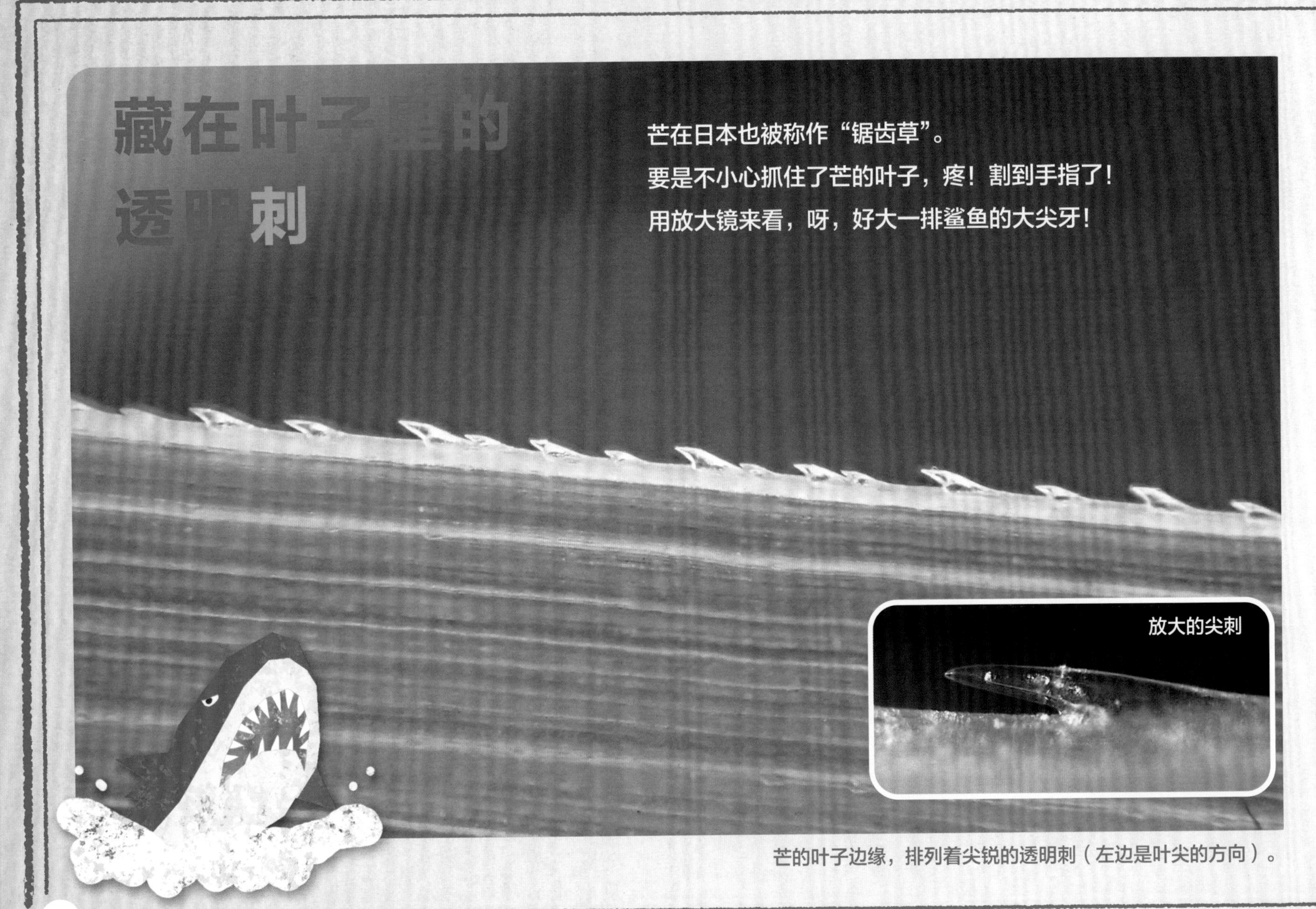

芒的叶子边缘，排列着尖锐的透明刺（左边是叶尖的方向）。

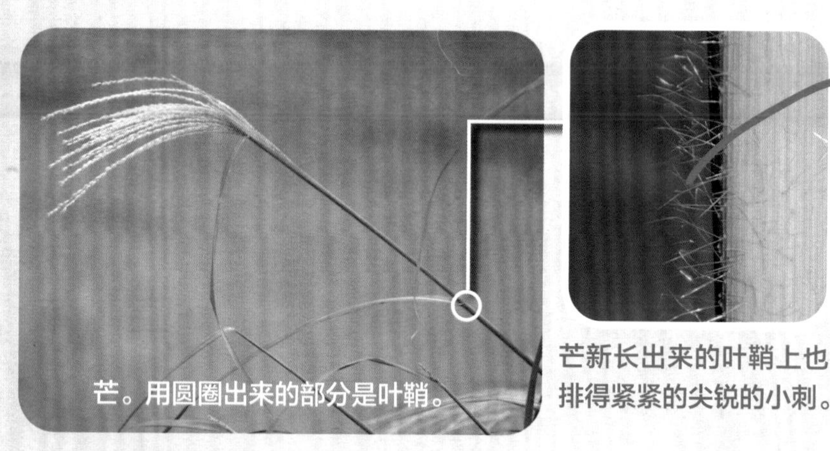

芒。用圆圈出来的部分是叶鞘。

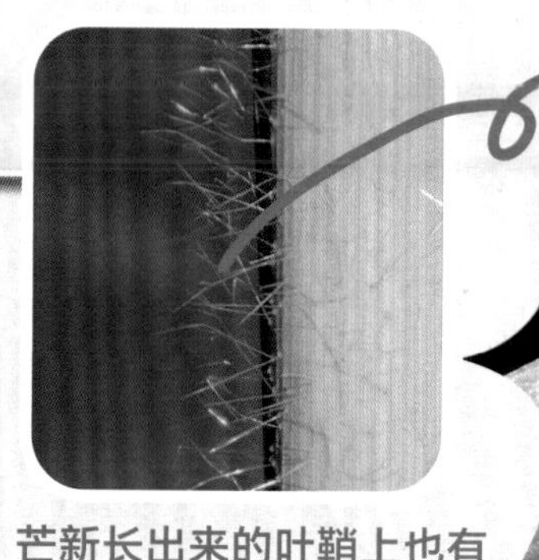

芒新长出来的叶鞘上也有排得紧紧的尖锐的小刺。

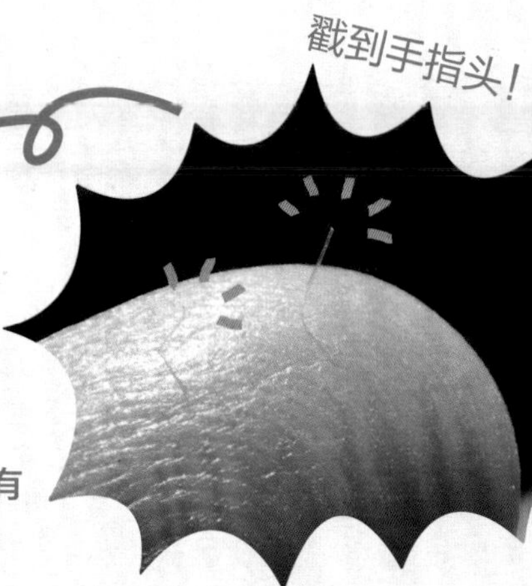

用透明刺来保护自己

虽然你可以顺着叶尖的方向来摸芒或狗尾草的叶边，但反方向就不行了，因为在它们的叶子边缘排列着肉眼勉强能看到的小小的刺。

这个刺是由硬硬的玻璃构成的。以溶于水的无机质为基础，植物可以制造玻璃（二氧化硅），并将它排列在叶子的边缘来对抗食草动物。

植物制造的玻璃被叫作“植物蛋白石”，根据植物的种类，各有不同的独特形态。禾本科植物的叶子内部也含有玻璃，它能够帮助叶子支棱着立起来。“植物蛋白石”能够在土壤中长期留存，所以通过分析历史遗迹中的土，就可以了解禾本科植物栽培的历史。

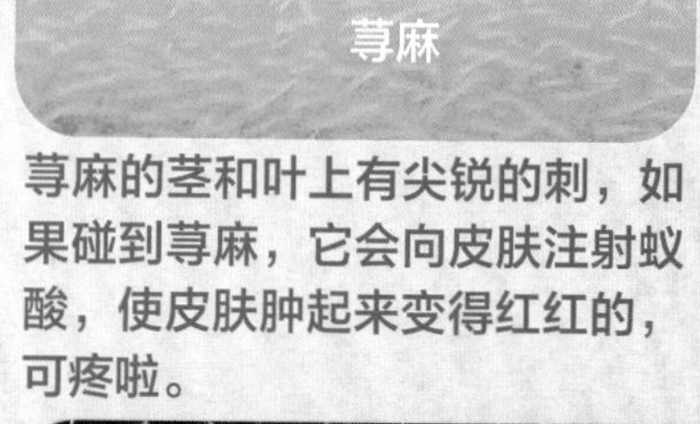

荨麻的茎和叶上有尖锐的刺，如果碰到荨麻，它会向皮肤注射蚁酸，使皮肤肿起来变得红红的，可疼啦。

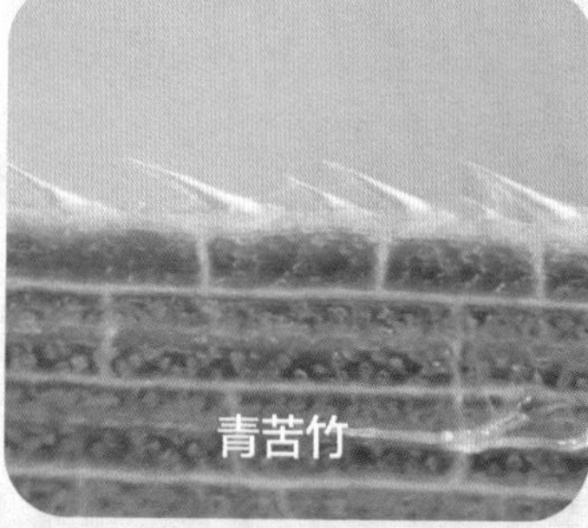

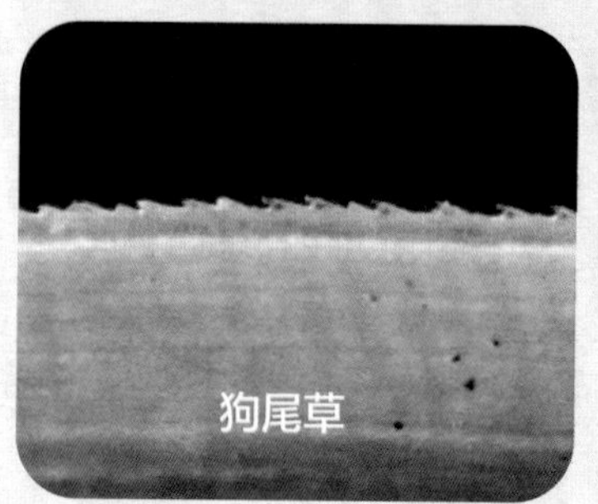

糙叶树叶子表面有玻璃质的硬毛，使得叶子手感粗糙。过去人们用它来代替砂纸。

卷须也是叶子？！

王瓜的卷须。和王瓜叶子一样，
只有一面长着毛。

葫芦科植物的卷须，
一圈一圈地卷起来变成一个弹簧。
弹簧可伸可缩，
所以被风吹来吹去，
也不会吹断。

一圈一圈绕起来，一圈一圈缠起来

葫芦科植物的卷须是叶子变态形成的（变态叶）。瓜藤顶端的卷须会慢慢地像画圆似的转圈，以寻找能够缠绕的东西；一旦找到了，卷须的顶端转眼之间就会弯曲，开始一圈一圈地卷起来。如果两端都固定住了的话，卷须会从中间开始卷起来，变成一个弹簧。因为卷须可以向两个方向卷曲，在中间的位置弹簧的卷曲方向会反转。

而葡萄科植物的卷须因为是茎变态形成的（变态茎），上面还残留着小小的叶的痕迹。

苦瓜的卷须

卷须的尖端先是缠绕到支撑物上，然后卷须变成了弹簧。

王瓜的卷须卷上了！它卷起来的速度出乎意料地快，只要2、3分钟尖端就卷起来了。让笔保持一段时间不动，就可以和王瓜“握手”了！

葡萄科的爬山虎的卷须顶端会变成吸盘，如果它找到了墙壁，就会产生黏液并抓住墙壁。因为卷须是变态茎，它上面还有一些毛刺状的叶的痕迹，吸盘也是一种变态叶。

新发现！

发现了一个王瓜卷须的超厉害招数！它碰到金属把手会变薄变宽以抓住把手！！

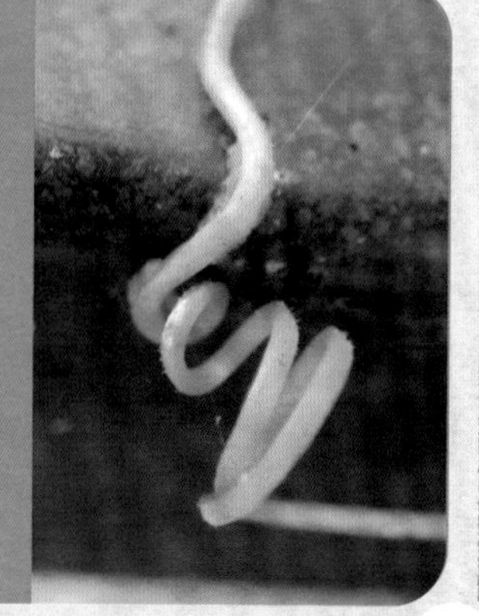

显微镜下的叶子

用显微镜来看叶子，

好惊讶！

有好多的毛，

也有好多的谜！

迷你西红柿

这是盆栽迷你西红柿。用显微镜来看它的叶子的话，眼前出现了不可思议的情景。看，像宝石，也像玻璃工艺品，这其实都是表皮细胞的表皮毛（毛状体）。

西红柿叶子有7种毛，它们除了能够阻隔干燥和紫外线，还能够起到制造和储存虫子不喜欢的气味的作用。

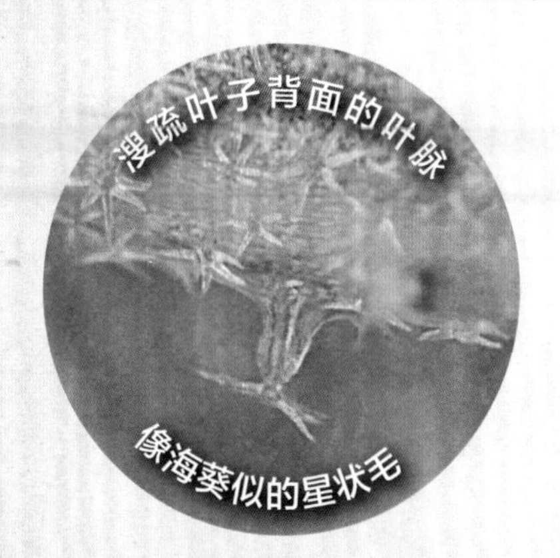

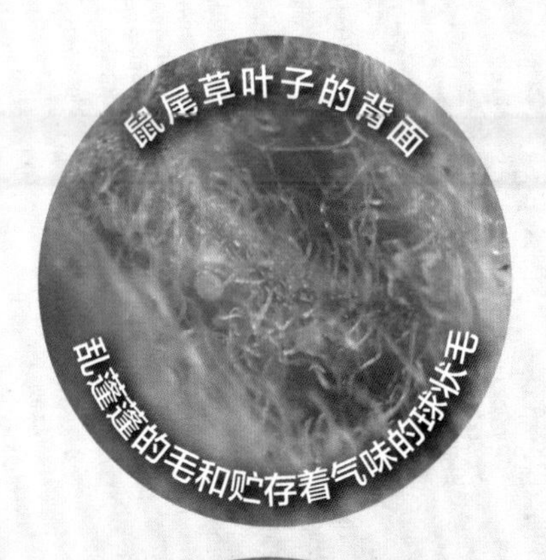

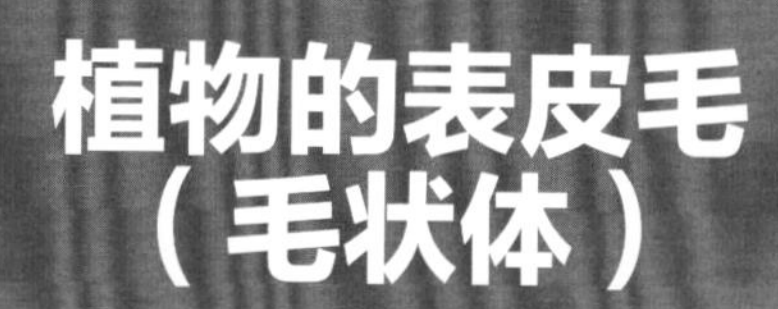

植物的表皮毛（毛状体）

植物的表皮毛可以保护叶子、弹开水、阻隔紫外线和干燥、制造气味或分泌黏液来保护自己、储存盐分等，可以起到各种各样的作用。它还有很多科学家现在还不了解的功能。

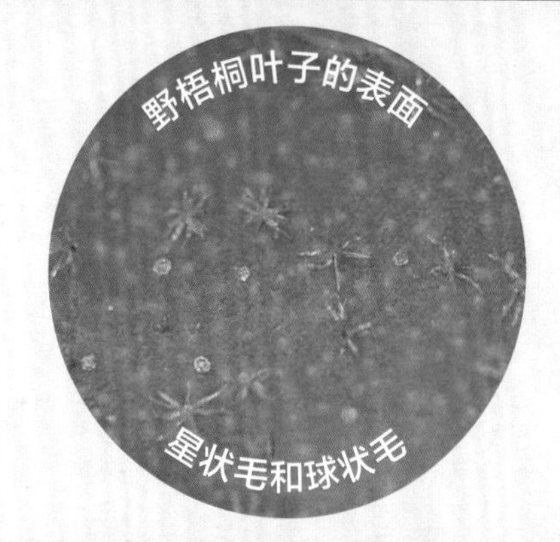

虫虫搭了房子的叶子

樟树

樟树的叶子上会长瘤子。
这是樟树叶子的背面，
叶子上有小小的孔，
这是虫虫房子的出入口。

这是显微镜下的樟树叶子背面。在叶子上遍布的细小点点里，塞满了有樟树香味的成分。

能赶走敌人的虫虫房子

樟树叶脉分叉的地方，有一个小小的瘤子，这是虫虫的房子（虫瘿）。房子的入口在叶子的背面。如果把它切开的话，可以看到白白的小虫子，这是瘿螨。虽然瘿螨对人无害，但它会吸叶子的汁。瘿螨对樟树而言本应该是敌人，可为什么樟树还让它们住下来，甚至还给它们食物呢?

科学家的研究解答了这个问题。如果叶子上有瘿螨的话，会引来食肉性的虫子，这些食肉性虫子会吃掉那些使叶子损失更大的，比如会将叶子卷起来或是把叶子吃光的虫子。也就是说，如果养着相对而言危害不是特别大的瘿螨的话，就可以避免被最糟糕的敌人啃食！同时，有时虫虫的房子里也会住进食肉性的虫子，这时吸食树汁的瘿螨也会减少，对樟树而言也有好处。

看叶子的表面，会发现叶脉分叉的地方有个瘤子。

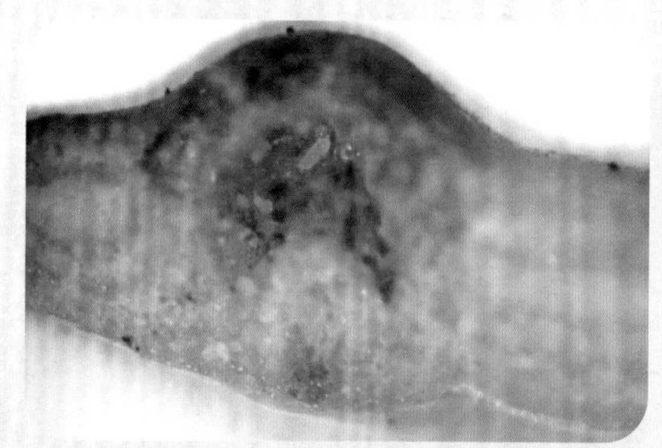

把瘤子切开，在显微镜下看是什么样呢？叶子的正面在上，中间挤满了食草的瘿螨。

叶子上的鲜榨果汁店

樱花树叶上的小小突起。
初夏，这里会充满甜甜的果汁，
蚂蚁巡逻队来喝饮料啦。

正在舔樱花（染井吉野樱）树叶上的蜜腺的蚂蚁

吸引**蚂蚁**的小机关

仔细看樱花树叶子，它的叶柄边缘有小小的突起，这叫作“蜜腺”（花外蜜腺），是可以分泌糖液的组织。

初夏时樱花树的新叶可以从这里分泌糖液。为什么会这样呢？这是为了吸引蚂蚁。

蚂蚁数量很多，身体里有着叫作“蚁酸”的毒液，还会袭击其他的虫子。所以只要蚂蚁在，其他吃叶子的虫子就不会靠近了。樱花树通过从树叶里分泌出糖液来“呼叫”蚂蚁，让蚂蚁“保安”来帮自己“巡逻”。

山桐子的叶柄上也有颗粒状的蜜腺。

救荒野豌豆在叶子着生的叶托部分有蜜腺。

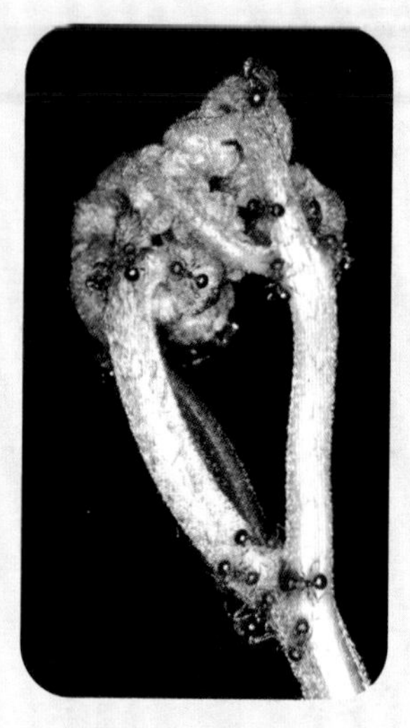

欧洲蕨的新芽也有蜜腺。

从春到秋，野梧桐的叶上都有蚂蚁转来转去，在它的叶片基部两侧有一对圆盘形的蜜腺。

野梧桐、**蚂蚁**和蚜虫

蚂蚁一边舔舐会吸食树汁的蚜虫的甘露（富含糖分的排泄物），一边替野梧桐“巡逻”。蚂蚁、植物、作为植物敌人的蚜虫，三者形成了非常微妙的三角关系。

吃虫子的叶子

对被闪闪发亮的东西粘住的昆虫而言，等待着它的是残酷的命运。

昆虫将被温柔地抱住，全身包裹在消化液中。

茅膏菜

吃虫子来补充营养

茅膏菜是生长在湿地中的食虫植物。茅膏菜的叶子是绿色的，虽然它可以进行光合作用，但它生长的土壤当中营养贫瘠。因此食虫植物就通过“吃掉”虫子来补充营养。

茅膏菜叶子的红色腺毛（长在叶子圆圆的顶端的黏黏的毛）和闪闪发亮的花蜜非常像，它通过这个来引诱昆虫。一旦粘住虫子、腺毛感受到振动，叶子就迅速地开始弯曲，把虫子的身体包裹住。腺毛会分泌能够分解蛋白质的酶，这样就把昆虫消化掉，使它成为茅膏菜的营养。

茅膏菜的叶子。在叶子表面密密排列着红色的腺毛，边缘的毛比较长，中心部分的毛比较短。这些毛中间有维管束。

花提供花蜜，吸引昆虫来搬运花粉。

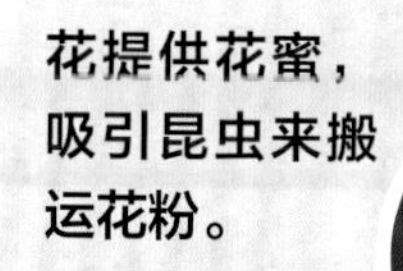

捉住虫子之后，腺毛和叶子一起将还在动的虫子包裹住，分泌出消化液来消化虫子。

将虫子消化完之后，叶子为了捕捉下一个猎物又重新张开。可以看到被吸干营养的昆虫尸体留了下来。

在高山湿地池塘旁边伸展开红色叶子的茅膏菜。茅膏菜叶子红红的，如果群生看上去就像“毛毡”（在演出的伴奏席等地方铺的红色布），所以它也被叫作“毛毡苔”。

会睡觉的叶子

在夜里四处转转的话，会意外地发现很多植物都在睡觉。
有的会把叶子竖起来，有的叶子垂下去，它们睡觉的样子也是各不相同呢。
虽然也可以把这种行为解释为避免夜间的辐射冷却，
但实际究竟是为什么目前还不知道。

白天的酢浆草

夜晚的酢浆草

Z z z...

就眠运动和体内闹钟

酢浆草每到了傍晚，就会将 3 片小叶子像收伞一样合起来，这叫作“就眠运动”，而到了早上又把叶子张开。即使把酢浆草放到完全黑暗的状态下，它依然连着好几天都会保持这样的具有昼夜节律的开闭运动，这告诉我们原来植物体内也有“闹钟（生物钟）”。

但在夜晚照射到强光的时候，酢浆草合起来的叶子又会张开。植物体内的闹钟原来还具有通过感知光照来进行修正的重设功能呢。

夜晚，已经合上的叶子受到强光照射时，会张开。

叶子通过使叶片基部稍稍隆起的部分（叶枕）膨胀或收缩来控制叶子的闭合。叶子上能够感光的探测器也位于这个部分。

白车轴草

魁蒿

苎麻

刺槐

一碰就会合起来的含羞草

如果碰一下含羞草的叶子，它马上就会把叶子合起来。虽然看上去像是因为害羞才合起来的，但其实含羞草是为了把叶子变成棒子似的形状以尽可能地不被食草动物发现。夜晚，含羞草睡觉时也会把叶子闭上。

❶一片叶子是由4个部分组成的。❷一碰含羞草，叶子马上就合起来。❸叶子全部合上并垂下来。

叶子的可回收循环利用

秋天，叶子由绿色渐渐变成黄色。

叶绿素也被分解掉，叶子在资源回收利用上下了大工夫。

银杏的黄叶，褪去绿色渐渐变为黄色。

循环利用珍贵的资源

为什么落叶之前，树叶会变成黄色呢?因为在这个时候，植物体内的资源回收利用系统在以最高效率运行着，这是为了在落叶之前尽最大可能地将含氮有机物和矿物质从叶子转移到枝干当中。含氮有机物和矿物质因为无法从根部以水溶液的形式吸收，对植物而言是经常短缺的珍贵资源。

这时，叶绿体也被破坏掉，含氮的叶绿素被分解并回收再利用，叶子原本含有的类胡萝卜素的黄色就显现出来了。最终，离层（见第 43 页）形成，叶子就从枝条上脱落了。

变成黄色的野梧桐的叶

柴绣球的黄叶也很漂亮。

红叶是怎么来的?

枫树的红叶来自花青素。花青素本来是植物为了对抗紫外线而制造的色素，这种色素也构成了花的颜色。

在准备落叶的这段时间里，叶子依然在持续地制造糖分，糖分积累之后渗透压会上升，这样将阻碍含氮有机物和矿物质向茎中移动。因此，植物将糖分转化成花青素来避免渗透压的上升。也就是说，红叶是叶子循环利用过程中的副产物。

鸡爪槭（红枫）

枫叶当中含有黄色的胡萝卜素和红色的花青素。

狗木

狗木的叶子中同时有叶绿素和花青素，变为红中带紫的颜色。

垂序商陆

垂序商陆以甜菜红素来替代花青素，形成红紫色的红叶。

凸与凹

吴茱萸是产自中国的芸香科药用植物，它的叶是大大的羽状复叶。

凸和凹是一对双胞胎。
吻合得刚刚好，特别合拍。
但是，现在到了说再见的季节。

吴茱萸的落叶和枝条上的叶痕

安全地脱落叶子

叶子在茎上留下的痕迹叫作“叶痕”，看上去像一张脸的纹路，其实是维管束的痕迹。叶痕在落叶的叶柄上也有，叶柄和茎上的痕迹一凸一凹正相反，刚好能凑在一起。

到了秋天，落叶树就开始为落叶做准备了。如果叶子直接掉落会产生伤口，伤口处会流失水分，还有可能招来病菌入侵。因此，树木一开始就在叶和茎之间，制造了一层富含软木质的“离层”，其中也包含输送水和营养的维管束。这样，树就可以安全地让叶子脱落。

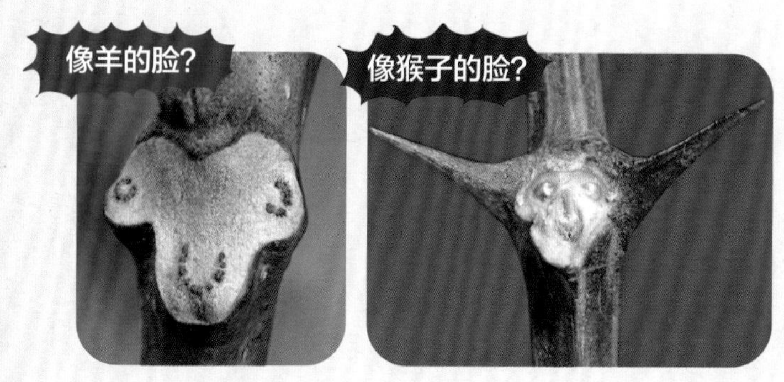

胡桃楸　　刺槐

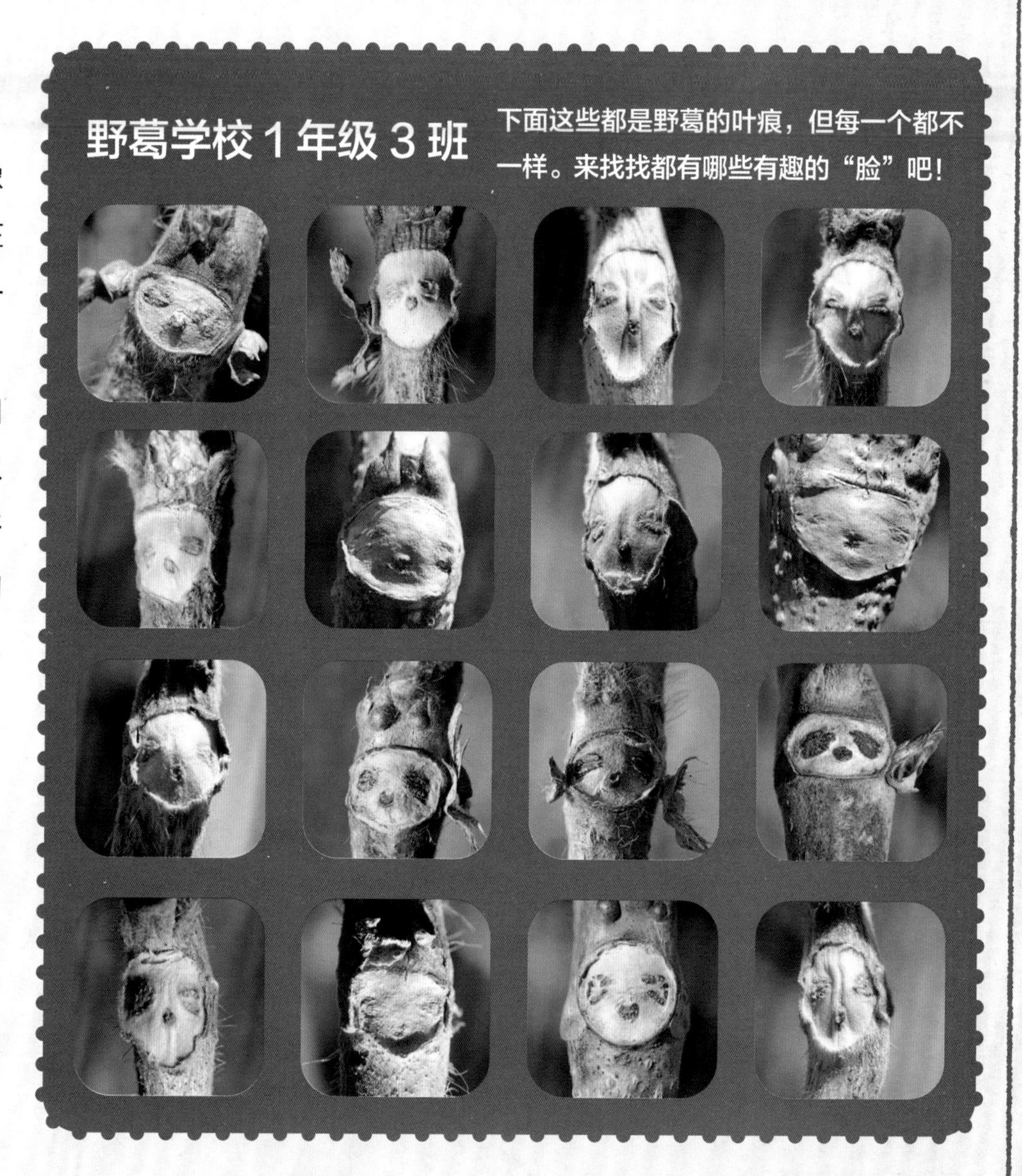

变甜是耐寒的对策？

当气温降到冰点以下，叶子为什么不会被冻坏呢？
当叶子上结满了霜，叶子中的细胞依然不会被冻坏。
叶子通过变甜来避免霜冻，度过冬天。

冬天的早上，忍耐着霜冻的阿拉伯婆婆纳、救荒野豌豆、球序卷耳、春飞蓬。

冰点下也不会受冻的叶子

冬日的早晨，地面被霜[1]覆盖变成一片白色，小小的叶子上也全都是小冰粒，这样没关系吗?

叶子中的细胞受冻的话就会死亡。所以，为了不被冻死，植物在越冬前就做好了准备。

植物将叶子含有的水中的糖分提高，这样在冰点以下也不会结冰，这和汽车的“防冻液”是同样的原理。

以紧贴地面的莲座状形态过冬的羊蹄，可以忍耐零下5℃~10℃的温度。

但耐寒也是有限度的，这是细胞里面也被冻住，叶子已经枯死的羊蹄。

降霜之后，细胞中的水分被吸到外面，细胞之间的部分会结冰（称作“细胞间隙结冰”）。但是，细胞的内部因为糖分的浓度进一步上升，反而更加难以结冰了。人们经常说“被霜打过的菠菜会变甜”，就是这个原因。

树木的耐寒对策

树木将重要的生长点用鳞片包住形成冬芽，采用“器官外结冰”[2]的方法来保护冬芽。

山毛榉的枝条和冬芽。枝条也可以通过过冷却[3]的方式，来忍耐零下30℃的严寒。

白桦的枝条和冬芽甚至可以忍耐零下70℃的低温。白桦的小伙伴们是落叶树中耐寒能力最强的，在北极都有分布。

1 霜是指空气受到辐射冷却而使其中的水分在叶子表面等地方凝华而成的冰晶。

2 器官外结冰是指在被叫作冬芽的器官外部结冰，但内部不会受冻的机制。

3 过冷却是指将静止的水缓慢地降温至0℃以下，使水保持液态，不会结冰的状态。

要小心看不见的守护者！

花叶滇苦菜叶子中的乳液

不想被吃掉

叶子为了不被吃掉，想出各种办法保护自己。

苦苣菜、蒲公英等植物的叶如果受伤，会流出白色的乳液。这个乳液不仅味道很苦，还因为含有橡胶成分，接触空气后会像胶水黏着剂那样凝固，所以会糊住想要吃叶子的虫子的嘴。

有的叶子用气味来赶走动物。叶子含有的产生苦、生涩、酸涩（吃了喉咙会发痒）等令人不快味道的化学成分，也是植物为了不被吃掉而做出的反击。还有些植物甚至含有会危及生命的剧毒。

植物在不断的战斗中生存下来。

乌头全株含有剧毒。

鸡矢藤通过很像臭屁的味道来保护自己。

多色苦荬叶子味道非常非常苦。

用酢浆草来抛光吧！

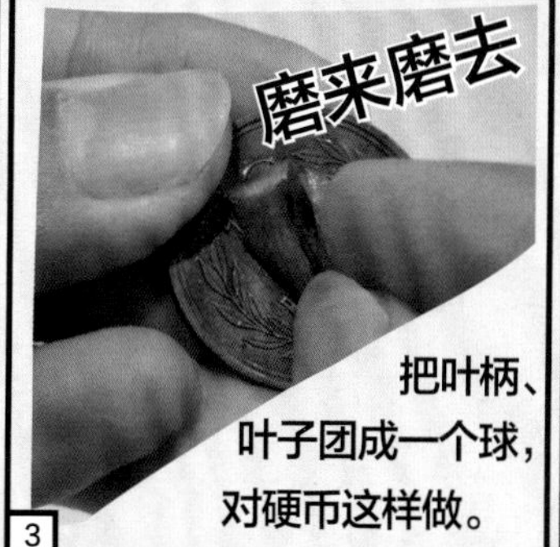

多田多惠子

博物学家，植物生态学者。出生于日本东京都，获得东京大学研究生院理学博士学位，是立教大学、国际东京农工大学等大学的外聘讲师。作为一名生态学者，她广泛调查植物的繁殖策略、昆虫和植物的相互关系等。著有《发现身边植物！种子的智慧》《图鉴 NEO 花》《常见植物的果实和种子图鉴 & 采集指南》《野外花卉生态图鉴》《令人惊讶的松果》等图书。此外还担任 NHK《儿童科学电话咨询》节目的植物学老师。

图书在版编目（CIP）数据

叶子科学馆 /（日）多田多惠子著；光合作用译 . —长沙：湖南科学技术出版社，2021.12
（自然侦探团）
ISBN 978-7-5710-0964-9

Ⅰ . ①叶… Ⅱ . ①多… ②光… Ⅲ . ①植物－少儿读物 Ⅳ . ① Q94-49

中国版本图书馆 CIP 数据核字（2021）第 076342 号

YEZI KEXUEGUAN

叶子科学馆

著　　者：［日］多田多惠子
译　　者：光合作用
出 版 人：潘晓山
责任编辑：李　霞　姜　岚　杨　旻
封面设计：有象文化
责任美编：谢　颖
出版发行：湖南科学技术出版社
社　　址：长沙市湘雅路 276 号
网　　址：http://www.hnstp.com
湖南科学技术出版社天猫旗舰店网址：
http://hnkjcbs.tmall.com
邮购联系：本社直销科 0731-84375808

印　　刷：长沙市雅高彩印有限公司
（印装质量问题请直接与本厂联系）
厂　　址：长沙市开福区中青路1255号
邮　　编：410153
版　　次：2021 年 12 月第 1 版
印　　次：2021 年 12 月第 1 次印刷
开　　本：787mm × 1092mm　1/16
印　　张：3.5
字　　数：43 千字
书　　号：ISBN 978-7-5710-0964-9
定　　价：38.00 元

叶子上的奇怪东西?!

小洞、疙瘩或是奇怪的纹样，这些到底是什么呢?

峡湾[1]的海岸?

野葛叶子上的食痕（粉吹象虫）

带窗户的小小房子?

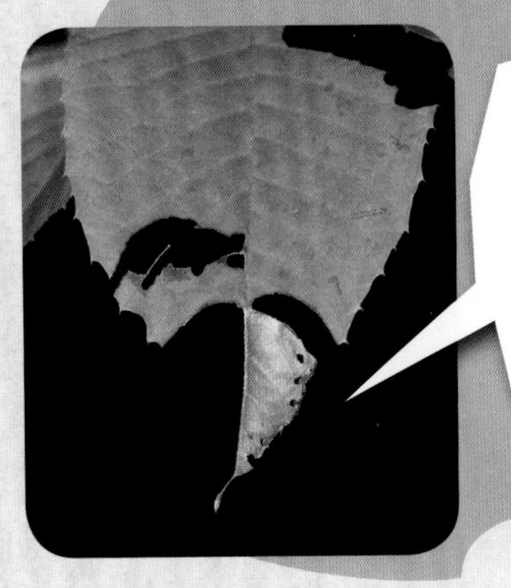

多花泡花树的叶子被做成了小帐篷。这是绿弄蝶幼虫住的地方。

这是谁的涂鸦?

潜叶蝇的幼虫爬到叶子里，这是它一边挖隧道一边吃叶子的痕迹。

漂亮的金色条纹?

泽兰叶子染上病毒。

可爱的迷你小杯子?

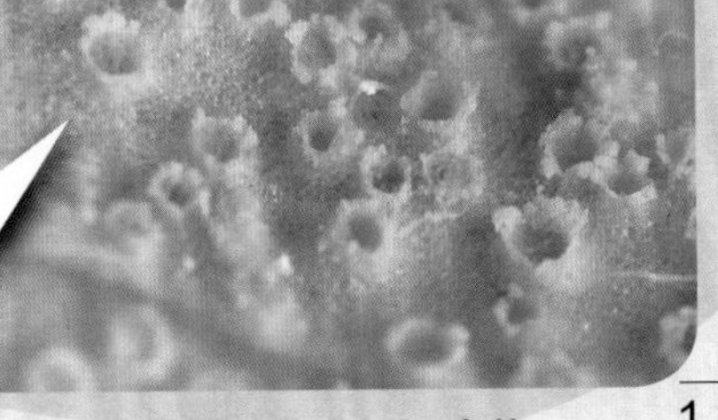

斑地锦叶子上长了病菌。

红色的宝石?

麻栎叶子上的虫瘿（瘿蜂）

1 峡湾是一种被冰川侵蚀形成的海岸地貌。

2 真菌不是通过种子，而是通过孢子来繁殖。

本书中登场的植物们